Les aventures de Sam Chicotte

Le trèfle d'Irlande

Catalogage avant publication de Bibliothèque et Archives nationales du Québec
et Bibliothèque et Archives Canada

Canciani, Katia, 1971-

Le trèfle d'Irlande

(Les aventures de Sam Chicotte)
Pour enfants de 6 à 9 ans.

ISBN 978-2-89579-408-0

I. Ouellet, Ghislain. II. Vinciarelli, José. III. Titre.

PS8605.A57T73 2011   jC843'.6   C2011-940904-6
PS9605.A57T73 2011

Dépôt légal – Bibliothèque et Archives nationales du Québec, 2011
Bibliothèque et Archives Canada, 2011

Direction : Carole Tremblay
Révision : Sophie Sainte-Marie
Mise en pages et couverture : Studio C1C4
Illustration de la couverture : Ghislain Ouellet

© Bayard Canada Livres inc. 2011

Les personnages et l'univers imaginaire de ce livre sont inspirés de l'émission *Sam Chicotte*,
une série télévisuelle produite par Point de Mire, d'après une idée originale de Nathalie
Champagne et Pascale Cusson.

Nous reconnaissons l'aide financière du gouvernement du Canada par l'entremise du Fonds du
livre du Canada (FLC) pour des activités de développement de notre entreprise.

 Conseil des Arts   Canada Council
du Canada   for the Arts

Bayard Canada Livres inc. remercie le Conseil des Arts du Canada du soutien accordé à son
programme d'édition dans le cadre du Programme des subventions globales aux éditeurs.

Cet ouvrage a été publié avec le soutien de la SODEC. Gouvernement du Québec – Programme
de crédit d'impôt pour l'édition de livres – Gestion SODEC.

 Bayard Canada Livres
4475, rue Frontenac, Montréal (Québec) H2H 2S2
Téléphone : 514 844-2111 – 1 866 844-2111
edition@bayardcanada.com
bayardlivres.ca

Imprimé au Canada

Les aventures de Sam Chicotte
Le trèfle d'Irlande

Une histoire écrite par Katia Canciani
et illustrée par José Vinciarelli et Ghislain Ouellet

D'après les personnages de la série télévisée *Sam Chicotte*

Sam Chicotte a huit ans. Il vit avec ses parents et son grand frère dans la maison que leur a léguée la vieille tante Chicotte. C'est en emménageant dans sa nouvelle chambre que Sam a fait la rencontre d'Edgar, un jeune fantôme. Sam est le seul à voir et à entendre Edgar. Mais leur voisine, madame Kelleur, sait qu'il existe. Cette vieille chipie n'a d'ailleurs qu'un seul but : se débarrasser du fantôme. Heureusement, Sam veille sur lui. Pour l'aider, il peut compter sur Alice, son amie et complice. Même si elle ne peut pas voir Edgar, Alice est prête à tout pour le protéger. Ensemble, les trois amis vivent chaque jour de nouvelles aventures plus trépidantes les unes que les autres !

Chapitre 1

Sam, Alice et Edgar courent dans la maison. Ils se sont donné un défi. Ils doivent toucher à toutes les portes et revenir le plus vite possible dans la cuisine. Ça fait du vacarme! La mère de Sam, Isabelle, sort de son atelier. Elle demande:

— Avez-vous cogné à ma porte?

— Non, répond son garçon. On s'amuse.

Alice ralentit. Edgar lui passe devant le nez. La jeune fille ne peut pas voir le fantôme. Il en profite.

Isabelle trouve que les enfants sont trop excités.

— Quand on a l'énergie de petites tornades, on va jouer dehors.

— Mais maman… riposte Sam.

Edgar s'apprêtait à remonter l'escalier. Il s'arrête.

Alice suggère :

— Et si on allait toucher à tous les arbres de la rue, à la place ?

— Ou sonner à toutes les maisons ? propose le fantôme.

Sam rit. Il confie à son amie :

— Edgar a une autre idée, mais la tienne est meilleure.

Les enfants enfilent leurs vestes. Il fait frais en ce beau dimanche d'automne.

— Pouvez-vous me rendre un service ? demande Isabelle.

— Bien sûr ! dit Alice.

— Il faut rapporter ce plat à madame Kelleur.

Le fantôme fait la moue. Leur voisine essaie toujours de lui faire du mal.

Alice n'aime pas la voisine, mais elle aime beaucoup Isabelle. Elle répond :

— D'accord.

Les enfants se rendent chez madame Kelleur. Edgar ne s'approche pas de sa maison. Lorsque la voisine et le fantôme sont l'un à côté de l'autre, ils frissonnent. Elle sait alors que le garçon est tout près, et lui, qu'il est en danger…

Sam sonne. Madame Kelleur est au téléphone. Elle aperçoit les enfants. Elle leur fait signe d'entrer pendant qu'elle termine sa conversation :

— J'y serai sans faute. Si tout se passe comme prévu, je vais même vous apporter une surprise. À bientôt !

Elle dépose le combiné sur la table. Sa valise ouverte traîne dans le corridor.

— Alors, mes petits choux, s'exclame-t-elle, qu'est-ce qui vous amène ?

Sam a déjà hâte de partir. La voisine lui pince la joue. Elle poursuit d'un ton mielleux :

— Qu'avez-vous prévu pour le congé de l'Action de grâce, la semaine prochaine ?

Alice répond avec enthousiasme :

— Je me fais garder chez Sam ! Ma mère part à New York avec ses élèves.

Madame Kelleur semble contrariée.

La jeune fille lui remet son plat.

— On était juste venus vous rendre ça. Merci, conclut-elle.

En ressortant, Sam et Alice racontent à Edgar ce qu'ils ont entendu.

— Où peut-elle bien aller ? dit Alice.

— Je me demande c'est quoi, sa surprise ! ajoute le garçon.

Edgar hausse les épaules. Il affirme :

— Quand la voisine n'y est pas, ce sont des vacances pour moi !

En soirée, madame Kelleur rend visite aux Chicotte. Elle a apporté des biscuits. Elle veut parler à toute la famille.

François appelle ses garçons :

— Laurent, Sam, venez ici !

Tous sont réunis autour de la table. La voisine annonce :

— Il y aura bientôt un an que vous habitez votre maison. J'ai eu envie de vous offrir un cadeau pour cette occasion.

Elle sort une enveloppe de son sac et déclare :

— Voici des billets d'avion pour l'Irlande. Je vous invite à m'accompagner durant le congé de l'Action de grâce. J'en ai même ajouté un pour la petite Alice…

Isabelle et François écarquillent les yeux.

— Madame Kelleur, c'est trop généreux ! s'exclame Isabelle.

— Je dois me rendre à une réunion familiale.

La voisine s'éclaircit la gorge, puis ajoute :

— Je préférerais ne pas voyager seule. Et vous êtes si gentils avec moi.

— Mais… dit la mère de Sam.

Madame Kelleur l'interrompt :

— On aura aussi la chance de visiter le château de mes lointains ancêtres. C'est maintenant un musée. Cependant, une fois tous les dix ans, on nous le réserve pour quelques heures. C'est une belle occasion pour les membres de ma famille de se retrouver.

François est épaté :

— L'Irlande, j'en ai toujours rêvé !

Madame Kelleur se lève. Elle se dirige vers la porte.

— Je suis si heureuse que vous acceptiez. Ah ! j'ai remarqué qu'il y avait beaucoup d'araignées autour de nos maisons. J'ai demandé à un exterminateur de venir pendant notre absence.

— Bien pensé, Madame Kelleur.

— C'est toujours mieux quand les enfants n'y sont pas… ajoute la voisine.

LE GRAND VOYAGE

Pour se rendre à New York, Julie, la mère d'Alice fera
un vol de 2 heures. Quelle sera la durée du vol de Sam,
Alice et Edgar pour se rendre à Dublin?

A) 8 heures.   **C)** 7 heures.

B) 5 heures.   **D)** 4 heures.

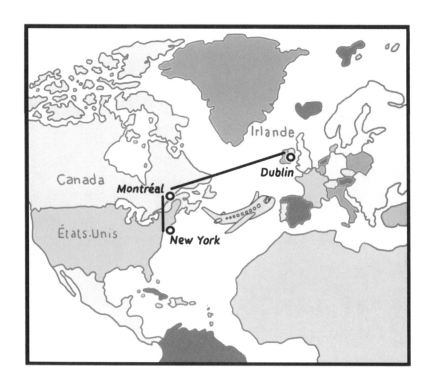

Chapitre 2

Le lendemain après l'école, Sam, Alice et Edgar discutent dans la cabane dans l'arbre. Alice a eu la permission d'accompagner les Chicotte en Irlande. Les enfants sont certains que la voisine a un plan derrière la tête. Le fantôme est nerveux. Sam déclare :

— Tu devrais rester ici.

Edgar proteste :

— Et si la saperlotte de Kelleur me jouait un mauvais tour pendant votre absence ? Cet exterminateur, ça doit être pour moi, pas pour les araignées !

— Mais si tu viens avec nous, tu seras aussi en danger… dit son ami.

Edgar refuse catégoriquement de demeurer seul.

— Il faudra être très prudents, conclut Alice.

Les jours suivants, tous préparent leurs bagages… y compris Edgar. À 17 heures tous les jours, le fantôme a un travail secret à faire. Dans sa valise, il apporte tout ce qui est nécessaire à l'accomplissement de sa tâche. Il met aussi sa montre-coucou de voyage.

Vendredi, c'est le jour du départ. Les voyageurs sont excités. À l'aéroport, les enfants restent groupés. La voisine discute avec Isabelle. François et Laurent étudient les guides de voyage.

— Trois jours, c'est trop court ! se plaint Laurent.

Dès qu'on annonce l'embarquement, Edgar salue ses amis. Il veut monter en premier, afin de ne pas faire la file avec madame Kelleur ! Mais, au moment même où il s'avance vers la porte, la voisine se lève et passe près de lui. Les deux frissonnent. La voisine affiche un grand sourire. « Ma tromperie de l'exterminateur a fonctionné ! » songe-t-elle.

— Oh non ! chuchote Sam à Alice. Madame Kelleur sait qu'Edgar nous accompagne…

Il est trop tard pour reculer.

En cours de vol, la voisine tente de se lever à plusieurs reprises. Mais le fantôme a trouvé comment allumer le voyant de sécurité qui indique aux passagers de demeurer assis. Il l'actionne chaque fois qu'il voit madame Kelleur bouger.

Les voyageurs arrivent en Irlande épuisés par le long vol. Dès qu'ils ont ramassé leurs valises, les Chicotte, madame Kelleur et Alice se dirigent vers la sortie. Edgar les suit de loin. La voisine demeure près de Sam.

— Puisqu'on ne peut pas tous monter ensemble, je prendrai le premier taxi avec les enfants, dit-elle.

Sam et Alice protestent. Isabelle réplique :

— Pas de caprices ! Nous allons à la même auberge.

Chaque fois qu'Edgar tente de se faufiler dans l'autre taxi, Laurent lui bloque le passage sans le savoir. Sam craint que son ami ne soit laissé à l'aéroport. Heureusement, le fantôme réussit à se glisser en avant avec le chauffeur au dernier moment.

L'auberge où ils logent est très vieille. Les murs sont croches. En entrant dans sa minuscule chambre, Laurent rigole :

— Les portes sont tellement basses qu'il faut se pencher pour ne pas se cogner.

Alice et Sam ont droit à une petite pièce avec deux lits.

— Ça ressemble à une garde-robe! grommelle Edgar.

Avant de se retirer dans sa chambre, la voisine leur rappelle :

— N'oubliez surtout pas la visite demain.

François répète les instructions :

— On se rejoint devant la grande porte du château à midi.

Isabelle embrasse la voisine sur les deux joues.

— J'ai hâte de rencontrer votre famille, Madame Kelleur !

— Pas moi… murmure Edgar.

LES INTERRUPTEURS

Sur quel interrupteur Edgar doit-il appuyer
afin d'indiquer aux passagers qu'ils doivent
attacher leur ceinture ?

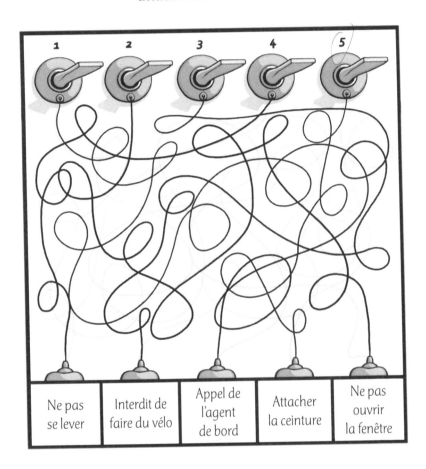

Chapitre 3

La ville de Dublin, la capitale de l'Irlande, bourdonne en cette fin de matinée. Les Chicotte et Alice déjeunent, puis se mettent en route à pied. Le château n'est pas très loin. De jolies boutiques bordent le chemin. Le trèfle, symbole de l'Irlande, est sur toutes les affiches. Isabelle et François se tiennent par la main. Laurent est responsable de la carte. Les plus jeunes ferment la marche. Edgar les accompagne. Il refuse de rester seul à l'auberge toute la journée.

Le château a une haute façade en pierre.

— Regardez la tour, s'exclame Laurent. C'est comme dans les films !

Sam, Alice et Edgar aussi sont épatés.

Il est bientôt midi. Madame Kelleur fait irruption derrière eux. Edgar ne l'a pas vue arriver. Les deux sont encore parcourus d'un frisson. La voisine saute de joie :

— Oh ! ma famille va adorer ma surprise…

Isabelle réajuste ses vêtements :

— J'espère que nous sommes assez présentables.

Les enfants se dévisagent.

— Sa surprise, c'est… nous ? murmure Sam.

— … ou moi, marmonne Edgar.

Madame Kelleur présente ses invités à sa famille. Ils sont une douzaine dans le hall d'entrée. Ils ont l'air heureux de se revoir. Isabelle, François et Laurent serrent des mains. Alice et Sam se contentent de sourire poliment. Edgar s'est réfugié derrière une armure de chevalier.

Une femme demande à madame Kelleur :

— Tu es certaine, ma cousine, que tu nous as apporté une surprise ? Je ne la perçois nulle part.

— Oui ! Elle est là !

— Formidable ! Il n'y a qu'à l'intérieur de ce château qu'on peut jouer à la tague paralysante ! s'exclame une dame âgée tout habillée de jaune.

Madame Kelleur lui fait les gros yeux, comme pour lui indiquer de se taire. Alice interroge Sam à voix basse :

— Ils vont jouer à la tague ?

Le garçon est inquiet.

— Et nous, qu'est-ce qu'on fait ? demande-t-il à sa mère.

Madame Kelleur répond à la place d'Isabelle :

— Vous pouvez vous promener à votre guise.

— Il n'y aura pas d'autres visiteurs ? s'exclame Laurent, ébahi.

— Non, confirme la voisine, sauf le gardien qui effectuera sa ronde. Les portes n'ouvriront aux touristes qu'à 15 heures. On se recroisera certainement…

De petits groupes se forment. Isabelle, madame Kelleur et deux de ses cousines vont d'un côté. Laurent, François et trois hommes à la barbe blanche discutent près d'une statue. Cinq vieilles dames énervées se montrent des photos en caquetant comme des poules. Un couple très âgé se dirige lentement vers un divan qui date d'une autre époque.

Sam et Alice s'empressent de déguerpir. Edgar les suit. Le long du corridor, toutes les portes sont ouvertes.

— Où va-t-on ?

— Loin d'eux, bougonne Edgar.

Les enfants s'aventurent dans la salle des portraits. D'abord, ils ne cessent de regarder derrière eux.

— Personne ne sous a suivis, note Alice. Vous croyez qu'on s'inquiète pour rien ?

— Peut-être qu'on a mal compris… dit Sam.

Au bout d'un moment, ils se détendent. Ils observent les peintures accrochées au mur.

— Vous trouvez qu'ils ont des airs de famille ? demande Alice.

— Ils ont tous des… rides, fait remarquer Edgar.

Sam rigole. Il répète la blague à son amie.

— Celui-là, on jurerait qu'il est sorti d'un film d'horreur !

— Ici, on dirait la mère de la Kelleur.

— Kelleur, ça rime avec horreur, dit le fantôme.

Un des hommes barbus qui discutaient plus tôt avec François s'approche discrètement des enfants. Il admire une collection de vases sur une table.

Sam se retourne et sursaute. L'homme est à deux pas d'Edgar. Il tend le bras vers lui.

Le fantôme est parcouru d'un frisson pareil à celui qui le traverse quand madame Kelleur est à ses côtés. L'homme aussi est parcouru d'un frisson. Il s'écrie, triomphant :

— Touché !

LA TOUR

Un morceau de la tour est tombé.
Peux-tu trouver lequel ?

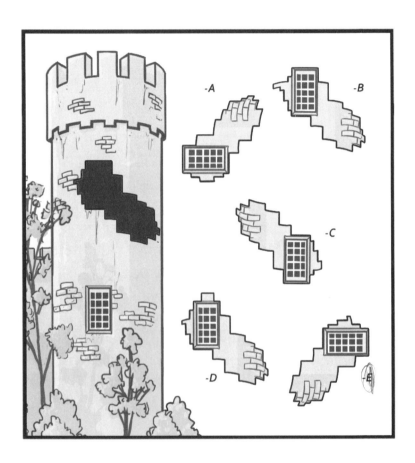

Chapitre 4

Edgar se met à courir. Ses amis le suivent. Ils franchissent trois pièces sans s'arrêter. Puis ils se cachent derrière un long rideau en velours rouge.

— Qu'est-ce qui s'est passé? chuchote Sam, essoufflé.

Edgar ne réussit ni à tourner ses yeux vers Sam ni à ouvrir la bouche. Il montre sa tête avec ses mains. Il fait comprendre à son ami qu'il ne peut plus la bouger.

Sam est paniqué. Il explique la situation à Alice.

— Heureusement, il entend encore, note sa complice. Mais c'est vraiment trop dangereux, ici!

— Il faut qu'Edgar sorte du château. Et vite! conclut Sam.

La jeune fille met le nez hors du rideau.

— Oh non !

— Quoi ?

— Madame Kelleur et ta mère s'approchent.

Edgar tremble.

— Détourne leur attention ! On va aller ailleurs, lance Sam.

Alice sort de derrière le rideau à pas de loup. Elle s'avance près de la fenêtre et s'exclame :

— Oh ! qu'est-ce que c'est que ça ?

Madame Kelleur et Isabelle rejoignent Alice. La sortie est libre.

La mère de Sam dit :

— On se demandait justement où vous étiez.

— Samuel n'est pas là ! constate la voisine.

— Il est parti à… aux toilettes, répond Alice.

La vieille perruche n'a pas l'air d'y croire. Elle parcourt la pièce du regard. Alice répète d'une voix forte, en collant le nez à la vitre :

— C'est quoi, ça ?

La mère de Sam s'approche de la fenêtre, mais la voisine hésite. Alice agrippe sa main et la tire fortement vers elle.

— Voyez-vous, là-bas, Madame Kelleur ? insiste-t-elle.

Sam en profite pour se faufiler hors de la pièce avec Edgar.

— Oh, j'étais certaine d'avoir vu un… un… ours… ajoute leur complice.

— Un ours ? Ridicule ! réplique la voisine.

— Quelle imagination, Alice ! lance Isabelle. Mais cette pelouse est d'un très beau vert. Qu'est-ce que c'est ?

Madame Kelleur siffle entre ses dents :

— Du trèfle ! Une variété unique au château. J'y suis allergique !

Isabelle est surprise.

— C'est la première fois que j'entends parler d'une allergie au trèfle. Vous n'êtes pas chanceuse !

Mais la voisine ne l'écoute plus, elle a remarqué qu'Alice s'est dérobée.

Dans le corridor, Alice s'arrête. Elle ne sait plus où se diriger.

— You-hou ! chuchote une voix.

La jeune fille pense que c'est Sam. Elle se dirige vers le bureau dont la porte est entrouverte.

La dame en jaune est cachée derrière la porte. Elle fait signe à Alice de ne pas faire de bruit.

—Tes petits amis s'en viennent ?

— Vous parlez de mon ami Sam ? réplique Alice.

La femme ricane.

— J'ai toujours adoré jouer à la tague paralysante… Ils sont cachés où ? Le fantôme a été touché combien de fois ? « Un, paralysé ! Deux, paralysé ! Trois, tu es mort ! » comme disait mon frère. Je veux faire le troisième touché. Je veux gagner, cette fois !

Alice est bouleversée. Ils veulent donc se débarrasser d'Edgar !

— Mon ami Sam, insiste-t-elle, est dans la… salle des portraits.

— Oh ! merci ! lance la femme en repartant sur la pointe des pieds.

« Elle est aussi horrible que stupide ! » pense la jeune fille.

Alice arpente les corridors. Il faut absolument qu'elle trouve Sam. Le petit groupe de François arrive près d'elle.

— Les premières pierres de ce château furent posées il y a 800 ans, commente l'un des hommes barbus.

La jeune fille les regarde passer.

— Sam te cherche, lui chuchote Laurent. Je me demande à quoi vous jouez… Il m'a dit de ne le répéter à personne, sauf à toi.

— Où est-il ?

— Deuxième porte à droite.

Alice se dépêche de rejoindre Sam. Lorsqu'elle entre dans la pièce où il est caché, elle est éblouie :

— La salle du trône !

Sam attend son amie. La chaise royale est sur une plateforme entourée d'un cordon de protection. Le gardien de sécurité sommeille dans un coin.

— Je te cherchais, explique sa complice. Où est Edgar ?

— Assis là ! précise le garçon en indiquant le trône.

Alice prend Sam à part. Elle lui répète les paroles de la dame en jaune.

— C'est encore pire que je pensais, réplique son ami d'une voix troublée par l'émotion.

Le groupe de femmes énervées entrent en trombe dans la salle. L'une d'elles s'exclame :

— Oh ! ils sont là, nos petits éclairs au chocolat… On va s'amuser !

— C'est moi qui vais le toucher, grogne la plus grande.

— Non, c'est moi ! répond une autre.

Les cinq sœurs se dispersent et touchent à tout. La plus petite s'approche du trône.

— Il est tout près, je le sens !

Edgar ne peut pas s'échapper. La femme enjambe le cordon de protection. Les autres se précipitent vers elles. Elles trébuchent sur le tapis.

Sam craint le pire. Il crie :

— Attention !

Alice pousse un hurlement de frayeur.

Mais c'est trop tard. Edgar frissonne.

— Touché ! ricane la femme.

LES DIFFÉRENCES

Trouve les 5 différences.

Chapitre 5

Le gardien de sécurité se réveille. Il est de mauvaise humeur. Il sermonne la femme qui a franchi le cordon. Il fait signe à tous de reculer. François accourt dans la pièce.

— Qu'est-ce qu'il y a, Alice ? demande-t-il.

La jeune fille se passe vivement la main dans les cheveux.

— Je croyais que j'avais une araignée sur la tête…

— Ça va, Sam ? demande encore François.

Le gardien tapote gentiment l'épaule de Sam. Il pense que le garçon a crié pour l'avertir que quelqu'un s'était approché du trône. François aide les femmes qui sont par terre à se relever.

Elles continuent de se chamailler. Le gardien en a assez. Il expulse tout le monde de la salle.

Sam n'a qu'une idée en tête. Il veut savoir si Edgar va bien. Il observe son ami tandis que le gardien referme la porte à clef. Le fantôme est debout près du trône, mais il ne peut plus bouger ses bras. Il est paralysé jusqu'à la taille.

Après avoir fait quelques pas dans le corridor, Alice et Sam entendent un homme et madame Kelleur discuter à voix basse dans une pièce à côté :

— C'était le deuxième touché. Plus qu'un… et c'est fini !

— J'aimerais bien savoir où il est en ce moment.

Madame Kelleur ricane :

— On n'a qu'à suivre les enfants… Quelle belle partie de tague !

Sam et Alice sont dans tous leurs états. Edgar est coincé dans la salle du trône. Les deux amis ne veulent pas trop s'éloigner, mais ils ne peuvent pas rester à côté non plus… Cachés derrière un paravent, ils se dépêchent de mettre un plan au point. Ils doivent faire sortir Edgar du château.

Madame Kelleur passe à quelques mètres d'eux sans les voir.

— Samuel, Alice, où êtes-vous ? demande-t-elle.

— Vous les cherchez ? réplique Isabelle en la rejoignant.

La voisine affirme :

— Oui, je voulais leur montrer quelque chose…

Isabelle appelle Sam à son tour.

C'est seulement Alice qui se présente.

Chaque fois que la voisine la regarde, elle fait semblant de chuchoter des paroles à un ami imaginaire. Madame Kelleur s'emballe. Elle s'imagine proche de son but…

— Sam n'est pas avec toi, Alice ? s'informe Isabelle.

— On s'est perdus de vue, prétend la jeune fille. J'étais occupée à autre chose… d'important.

La Kelleur jubile.

Pendant ce temps, Sam va revoir le gardien.

— Je crois que j'ai laissé tomber mon porte-monnaie dans la salle du trône, explique-t-il.

Le gardien lui ouvre la porte.

Sam entre dans la pièce. Il fait signe à Edgar de sortir pendant que la porte est ouverte. Le fantôme est heureux de revoir son ami, mais il ne peut même pas le montrer ! Seules ses jambes peuvent encore bouger ! Edgar attend Sam à l'extérieur de la salle. Après de fausses recherches aux quatre coins de la pièce, le garçon dit au gardien :

— J'ai dû perdre mon porte-monnaie ailleurs. Je ne le vois pas. Merci quand même…

Dans le corridor, le garçon entreprend de reconduire Edgar vers la grande porte du château. Plus vite le fantôme sera à l'extérieur, mieux ce sera !

Alice est une excellente comédienne. Elle a réussi à faire croire à tous les membres de la famille Kelleur croisés sur son passage qu'Edgar est près d'elle. Ils la suivent avec fébrilité. Madame Kelleur ne cesse de changer de place afin de trouver le fantôme. Isabelle, un peu étourdie, demande :

— Ça va, Madame Kelleur ?

Tous ont beau chercher, Edgar est introuvable.

Sam a atteint l'entrée du château avec Edgar. Il ne lui reste que quelques mètres à franchir pour arriver dehors. Le vieux couple, toujours assis sur le divan, observe le garçon. L'homme se lève. Il sourit inexplicablement.

— C'était un jeu que j'aimais beaucoup, dans mon jeune temps…

Il fixe Sam dans les yeux.

— Gagner une dernière fois, ce serait…

Sam panique. Le vieil homme a compris leur ruse. Le petit groupe qui suit Alice surgit au même moment, poussé par le gardien qui a annoncé la fin de la visite. Madame Kelleur réalise ce qui se passe.

— Je veux cette victoire ! s'écrie-t-elle en fonçant vers la porte.

LE CHUCHOTEMENT

Que chuchote Alice à son ami imaginaire?

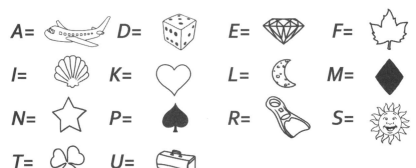

A-t-on le droit d'écouter les conversations des autres sans qu'ils le sachent ? Est-ce correct dans certaines circonstances ?

Chapitre 6

Sam ouvre la porte d'un coup sec.

— Noooon! s'écrient en chœur la Kelleur, les membres de sa famille et le gardien.

Edgar a réussi à se sauver.

Madame Kelleur enrage. François et Isabelle pensent que c'est parce que leur fils a touché à la porte. De l'autre côté, des dizaines de personnes attendaient la fin de la visite privée. Elles se précipitent dans le château.

Une querelle éclate aussitôt dans la famille de madame Kelleur.

— Il n'y a même pas de gagnant.

— Cette surprise était trop difficile!

— Ce fantôme avait de l'aide, ajoute une femme.

Personne ne se dit au revoir, chacun s'en va de son côté en maugréant. Isabelle, Laurent et François n'y comprennent rien. Ils se dirigent vers les jardins.

— Ils ont du caractère ! rigole Laurent.

— Qu'est-ce qui a causé la chicane ? demande Isabelle.

Sam et Alice soupirent de soulagement. Au moins, Edgar n'est plus en danger de mort. Mais s'il ne peut pas bouger les bras, pourra-t-il faire son important travail à 17 heures ?

Madame Kelleur les rejoint. Elle regarde Sam et Alice d'un air moqueur :

— Il doit avoir l'air fou, à moitié paralysé…

Dehors, les enfants se réfugient derrière une haie. Edgar réussit à enlever sa chaussure. Sam comprend qu'il veut leur montrer quelque chose. Il prend la chaussure dans ses mains. À l'intérieur, il est noté : « T. L. » à côté d'un numéro de téléphone.

— « T. L. », ça doit être pour « Théodore Legrand », dit Alice.

Le notaire Legrand était l'ami de la tante Chicotte. Grâce au vieux grimoire qu'elle lui a légué,

il trouve toujours une solution aux problèmes les plus mystérieux.

Alice réfléchit.

— J'ai une idée ! s'exclame-t-elle.

Elle va voir Isabelle et demande à téléphoner à sa maman. Isabelle croit qu'elle s'ennuie. Elle lui prête son cellulaire. Alice s'éloigne et compose plutôt le numéro du notaire. Ça sonne.

— C'est un répondeur, murmure-t-elle à Sam.

Elle dit :

— Edgar est en danger, Monsieur Legrand. Nous sommes au château de Dublin. Aidez-nous. Vite !

— Tu as réussi à joindre ta maman, ma belle Alice ? demande Isabelle.

— Je lui ai laissé un message, répond-elle.

Les Chicotte et Alice se promènent sur le terrain. Bizarrement, madame Kelleur ne les suit pas. Laurent le remarque.

— Elle est allergique à ce trèfle, mentionne Isabelle.

Les enfants en bourrent leurs poches en cachette…

Laurent, lui, en a assez des plantes :

— On visite la vieille prison de Dublin, maintenant ? Il paraît que c'est terrifiant…

L'idée ne plaît pas du tout à Sam et Alice. Comment le notaire les retrouvera-t-il s'ils se déplacent ?

Une gardienne de sécurité s'approche.

— On m'a demandé de vous donner ceci, annonce-t-elle.

Elle remet une enveloppe à François. À l'intérieur, le père de Sam découvre des billets.

— Des laissez-passer pour le musée de cire ! On a notre réponse : on va au musée !

— Je me demande qui nous offre ça ! dit Isabelle, surprise.

— C'est un coup de la Kelleur… murmure Sam à Alice.

Sa complice est de son avis.

— Edgar ne peut pas venir avec nous, déclare-t-elle.

Sam conseille à son ami de retourner à l'auberge et de les attendre là-bas.

— Le notaire Legrand va nous aider. Ça va s'arranger.

Enfin, c'est ce que Sam espère…

Il insiste pour que madame Kelleur les accompagne au musée. La voisine n'est pas du tout enthousiasmée.

— On ne voudrait pas vous laisser seule, argumente le garçon.

— Surtout que votre famille est déjà repartie… ajoute son amie.

— Comme ils sont gentils ! dit Isabelle.

Madame Kelleur est obligée d'accepter. Les enfants veulent surtout s'assurer qu'elle ne retourne pas à l'auberge.

LE NUMÉRO DE TÉLÉPHONE DU NOTAIRE

Quel est le numéro de téléphone du notaire ?

Il n'y a pas deux chiffres pareils côte à côte.

Il comporte au moins un chiffre 3.

Le 1 n'est jamais à côté du 5.

Il n'y a pas de chiffre 7.

280 402-1267

280 136-8523

280 474-7361

280 613-5001

— Environ deux heures après le dernier touché…

Le cœur de Sam ne fait qu'un tour. Il ne leur
reste donc qu'une heure et demie… Le notaire
explique :

— Seul un meilleur ami peut contrer cette para-
lysie.

— Moi ! lance Sam.

Le notaire précise :

— Il doit déposer un trèfle à quatre feuilles dans
la main de la personne paralysée en récitant ce
poème : « *Tá mé do chara. Mo heals seamair. Tá mé
do chara ar feadh a saoil.* »

Les enfants froncent les sourcils.

— Qu'est-ce que ça veut dire?

— C'est en gaélique, la langue des Irlandais. Ça signifie : « Je suis ton ami. Mon trèfle te guérit. Je suis ton ami pour la vie. »

— Il faut s'en souvenir par cœur, prévient monsieur Legrand.

Alice répète la phrase dans sa tête. François les appelle :

— Venez-vous, les enfants ? Madame Kelleur est fatiguée.

Sam tente de se souvenir du poème. C'est difficile. Alice est bonne pour apprendre un texte. Elle l'encourage :

— Je vais t'aider, Sam. Tu vas être capable.

Mais Sam n'en est pas du tout convaincu.

— Si j'avais pu le réciter en français, ça aurait été plus facile, explique-t-il.

Sam répète son poème.

— Qu'est-ce que vous marmonnez ? demande Isabelle en riant.

— On a lu ça sur un panneau, dit Alice.

La jeune fille déclame le texte.

— Joli ! dit Isabelle. Tu es tellement douée pour le théâtre.

Sam marche derrière son amie en bafouillant :

— *Tá-mé-do-chara. Mo-il-ze-si-a*…

— *Seamair*, complète Alice.

Sam est découragé. En plus d'apprendre le poème, il doit trouver un trèfle à quatre feuilles !

LE TRÈFLE CHANCEUX

Trouve un trèfle à quatre feuilles dans l'illustration.

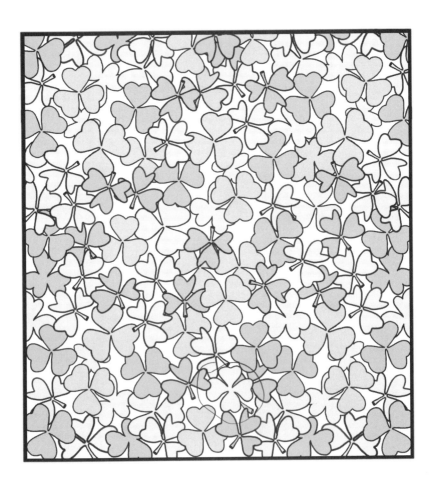

Chapitre 8

Tandis qu'ils terminent la visite du musée de cire, Sam et Alice cherchent désespérément un trèfle à quatre feuilles dans leurs poches.

— Toi, tu en as un ? demande Sam à son amie.

— Non !

Même sans trèfle, Sam veut retourner à l'auberge. Il s'inquiète vraiment pour Edgar.

— Concentre-toi sur le poème, lui conseille Alice.

Sam est presque capable de le réciter sans faute.

— Pour retourner plus vite à l'hôtel, j'ai une idée, dit sa complice.

Alice s'approche de la mère de Sam. L'air triste, elle se lamente :

— Isabelle, j'ai mal à la tête…

Isabelle touche le front d'Alice.

— Tu n'es pas chaude, pourtant.

La jeune fille continue de marcher. Un peu plus loin, elle frissonne.

— Isabelle, je ne me sens pas bien, ajoute-t-elle.

— Ça va ? lui murmure Sam.

Alice lui fait un clin d'œil.

— Maman, déclare-t-il, je crois vraiment que nous devrions rentrer.

Isabelle avertit François et Laurent qu'elle va retourner à l'auberge avec les plus jeunes. Madame Kelleur souhaite les accompagner. Elle les suit toutefois à distance.

— Je n'arrête pas d'éternuer parce que vous avez marché dans le trèfle, bougonne-t-elle.

— Oh ! on est désolés ! s'excuse Sam.

Isabelle prend la main d'Alice. Elle affirme :

— Il ne faudrait pas que ta maman pense que nous nous sommes mal occupés de toi.

— Elle a juste besoin de repos, la rassure Sam.

Alice se penche vers son ami.

— Il faut encore qu'on trouve un trèfle à quatre feuilles, lui rappelle-t-elle.

Le garçon réfléchit. Il fait signe à sa mère qu'il veut lui dire quelque chose à l'oreille :

— Maman, pourrait-on s'arrêter chez le fleuriste ?

— Ce n'est pas le moment, Sam !

Le garçon lui confie son idée.

— Pour ton amie malade, d'accord ! Tu es adorable ! affirme Isabelle.

Devant la boutique du fleuriste, Isabelle donne de l'argent à son garçon.

— Je reviens tout de suite ! dit-il.

La fleuriste regarde entrer Sam dans sa boutique. Rapidement, elle réalise qu'il ne parle pas sa langue. Il tente

de mimer ce qu'il cherche. La dame lui propose des marguerites, des roses, des œillets. Sam refuse les fleurs les unes après les autres. Il ne sait plus quoi faire. Il y va pour la seule chose qu'il a en tête :

— *Tá mé do chara. Mo heals seamair. Tá mé do chara...*

— ... *ar feadh a saoil,* complète la femme.

Elle est étonnée qu'un touriste connaisse cette vieille comptine un brin secrète.

Elle s'éclipse dans l'arrière-boutique. Elle en revient avec un trèfle à quatre feuilles. Elle le remet à Sam en disant :

— *N-éirí leat[1]* !

Sam n'a aucune idée de ce que ça signifie. Il dépose son billet sur le comptoir. La fleuriste refuse d'être payée.

Sam ressort de la boutique en cachant son trèfle.

— Tout était trop cher, explique-t-il à sa mère en lui remettant son argent.

Isabelle hoche la tête. Elle déclare :

---

1. * Bonne chance !

— J'étais en train de raconter à madame Kelleur qu'Alice a appris un joli poème irlandais…

Sam et Alice se dévisagent. Si la voisine connaît le remède antiparalysie, elle va tenter de contrecarrer leur plan.

Alice fait semblant d'avoir mal au cœur.

— Je dois aller aux toilettes MAINTENANT ! s'écrie-t-elle.

— Oh non ! dit Isabelle.

Les enfants partent à la course.

— Crime poff ! Attendez ! proteste madame Kelleur.

Mais les enfants n'ont pas l'intention d'attendre cette chipie. Ils courent le plus vite qu'ils le peuvent. Sam récite son texte encore et encore.

Isabelle les suit. De temps en temps, elle regarde derrière eux. La voisine ne réussit pas à les rattraper. Isabelle s'excuse :

— Désolée, Madame Kelleur…

Les enfants grimpent à leur chambre à la hâte. Isabelle ralentit. Elle est à bout de souffle. Alice demande à Sam :

— Te souviens-tu du poème ?

Sam hoche la tête et prend une profonde inspiration. Il entre dans la chambre. Edgar est assis sur le lit d'Alice, toujours paralysé de la tête aux hanches.

Sam place le trèfle dans la main de son ami et déclare :

— *Tá mé do chara. Mo heals seamair. Tá mé do chara ar feadh a saoil.*

Au même moment, la montre-coucou d'Edgar sonne. Le fantôme referme sa main sur le trèfle et disparaît.

Sam s'assoit sur le lit.

— Ça a fonctionné ? demande Alice.

— Je ne sais pas. Edgar n'est plus là.

Les amis se serrent très fort.

Isabelle les rejoint.

— Ça va, ma belle Alice ?

— Hummmm… oui ! répond-elle.

Madame Kelleur espère encore arriver à temps. Dans sa hâte, elle oublie de se pencher pour passer la porte. Elle se cogne violemment la tête sur le cadre

et retombe au sol, sonnée. Isabelle la raccompagne
à sa chambre.

Sam aimerait en rire. Il est toutefois trop inquiet.
Puis il entend un sifflement provenant de la salle de
bains :

— Eh !

Il sourit.

Sam prend Alice par la main. Ils se réfugient
dans la petite pièce.

— Une chance que je vous ai ! lance Edgar.

Il remet son trèfle à quatre feuilles à Sam. Il
ajoute d'un air taquin :

— Tiens, si tu veux l'offrir à une fille… avec un bec. Les filles aiment ça, les becs !

Sam fait les gros yeux à son ami.

— Qu'est-ce qu'il a dit ? demande Alice.

Le garçon sourit d'un air espiègle. Il lui tend le trèfle :

— Edgar te remercie. Et il te donne un bec !

— Ce n'est pas ça que j'ai dit ! proteste Edgar avec force.

Alice rit. Elle regarde le trèfle.

— Ça, c'est un vrai souvenir de vacances !

Jusqu'à leur départ, Sam et Alice gardent le trèfle du château dans leurs poches. La voisine ne s'approche jamais d'eux. Elle reste près d'Isabelle et de François. Mais, lors du vol de retour, les jeunes ont une autre idée. Ils cachent le trèfle dans les poches et le sac à main de madame Kelleur. La voisine tousse, éternue et renifle sans arrêt durant le vol. À son arrivée, les douaniers pensent qu'elle a une nouvelle maladie. La voyageuse est placée en isolement. Sa grosse bosse sur le front ne l'aide pas à avoir l'air en santé !

— Pauvre madame Kelleur, déclare François. Elle n'est pas chanceuse !

Sam et Alice se tapent dans les mains. Ils lèvent leur pouce en l'air. Edgar danse autour d'eux, sa valise à la main.

— Vive le trèfle d'Irlande ! dit Sam.

— Et vive l'amitié ! ajoute sa complice.

SOLUTIONS DES JEUX

LE GRAND VOYAGE
Page 14 : C) 7 heures.

LES INTERRUPTEURS
Page 22 : Le 5.

LA TOUR
Page 30 : E.

LES DIFFÉRENCES
Pages 40-41 :

LE CHUCHOTEMENT
Page 48 : Madame Kelleur ne me fait pas peur.

LE TÉLÉPHONE DU NOTAIRE
Page 56 : 280 136-8523.

LE TRÈFLE CHANCEUX
Page 64 :

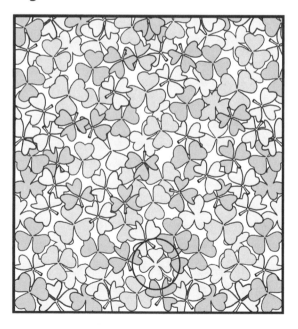

Découvre d'autres palpitantes aventures de Sam Chicotte et ses amis

Les baleines des Îles-de-la-Madeleine

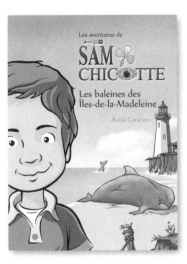

Edgar le fantôme est en danger. L'horrible madame Kelleur est partie aux Îles-de-la-Madeleine dans l'espoir de retrouver ses pouvoirs magiques. Si elle y parvient, elle pourra faire disparaître le petit fantôme. Sam et Alice n'ont pas le choix. Ils doivent agir ! Grâce au mystérieux notaire Legrand, les trois amis partent sur les traces de leur vilaine voisine. Réussiront-ils à empêcher cette vieille chipie d'atteindre son but ?

La potion du Grand Nord

Alice est victime d'un mauvais coup de madame Kelleur. Après avoir bu une boisson fabriquée par l'horrible voisine, elle a vu son corps se couvrir de boutons. Si Sam et Edgar ne trouvent pas une façon de soigner leur amie, elle ne pourra pas tenir son rôle dans la pièce de théâtre de l'école. Le problème, c'est que la seule personne capable de guérir Alice habite Tasiujaq, dans le Grand Nord. Les garçons réussiront-ils à se rendre jusque-là ?

Le talisman du Mexique

Sam n'arrive plus à voir les pieds de son ami Edgar. Pire, le petit fantôme s'efface davantage d'heure en heure. Seul le talisman de tante Chicotte pourrait redonner à Sam la vue magique. Le problème, c'est que le talisman a perdu son pouvoir. Il doit être rechargé en haut d'une pyramide maya, le jour de l'équinoxe de printemps. Sam y parviendra-t-il avant qu'Edgar ait complètement disparu ?